LIVRO
DE SONETOS

VINICIUS DE MORAES

LIVRO
DE SONETOS

19ª reimpressão

Copyright © 1991 by V. M. Cultural

www.viniciusdemoraes.com.br
www.facebook.com/ViniciusDeMoraesOficial
www.instagram.com/poetaviniciusdemoraes
www.youtube.com/viniciusdemoraes

Grafia atualizada segundo o Acordo Ortográfico da Língua Portuguesa de 1990, que entrou em vigor no Brasil em 2009.

Capa
Jeff Fisher

Pesquisa
José Castello

Consultoria
Otto Lara Resende

Preparação
Márcia Copola

Revisão
Renato Potenza Rodrigues
Vivian Miwa Matsushita

Atualização ortográfica
Verba Editorial

Dados Internacionais de Catalogação na Publicação (CIP)
(Câmara Brasileira do Livro, SP, Brasil)

Moraes, Vinicius de, 1913-1980.
   Livro de sonetos / Vinicius de Moraes. — 1ª ed. — São Paulo : Companhia das Letras, 2006.

ISBN 978-85-359-0927-2

1. Poesia brasileira I. Título.

06-7143   CDD-869.91

Índice para catálogo sistemático:
1. Poesia : Literatura brasileira 869.91

Todos os direitos desta edição reservados à
EDITORA SCHWARCZ S.A.
Rua Bandeira Paulista, 702, cj. 32
04532-002 — São Paulo — SP
Telefone: (11) 3707-3500
www.companhiadasletras.com.br
www.blogdacompanhia.com.br

SUMÁRIO

Ária para assovio *9*
Soneto a Katherine Mansfield *10*
Soneto de devoção *11*
Soneto de intimidade *12*
Soneto de contrição *13*
Soneto à lua *14*
Soneto de separação *15*
Soneto de Oxford *16*
Soneto do maior amor *17*
Soneto de agosto *18*
Quatro sonetos de meditação:
    I *19*
    II *20*
    III *21*
    IV *22*
Soneto de Carnaval *23*
Allegro *24*
Soneto de véspera *25*
Soneto a Otávio de Faria *26*
Sonetinho a Portinari *27*
Soneto ao inverno *28*
Soneto de Londres *29*
Epitáfio *30*
Soneto de fidelidade *31*
Pôr do sol em Itatiaia *32*
Soneto de despedida *33*
O escândalo da rosa *34*
Soneto de Quarta-Feira de Cinzas *35*
Soneto da mulher inútil *36*
Soneto de aniversário *37*

Soneto a Lasar Segall *38*
Soneto de um domingo *39*
Soneto da rosa *40*
Soneto do só (Parábola de Malte Laurids Brigge) *41*
Bilhete a Baudelaire *42*
Não comerei da alface a verde pétala *43*
A pera *44*
Tríptico na morte de
Sergei Mikhailovitch Eisenstein:
    I *45*
    II *46*
    III *47*
Poética *48*
Soneto do amor total *49*
Soneto de Florença *50*
Máscara mortuária de Graciliano Ramos *51*
Soneto da maioridade *52*
Soneto do Corifeu *53*
Soneto da mulher ao sol *54*
Soneto do amor como um rio *55*
Retrato de Maria Lúcia *56*
O espectro da rosa *57*
Soneto de Montevidéu *58*
O verbo no infinito *59*
Os quatro elementos:
    I — O fogo *60*
    II — A terra *61*
    III — O ar *62*
    IV — A água *63*
Soneto da hora final *64*
Soneto a Pablo Neruda *65*
Poética (II) *66*
O anjo das pernas tortas *67*
Soneto no sessentenário de Rafael Alberti *68*
Soneto da espera *69*
Soneto da rosa tardia *70*

Soneto do gato morto *71*
Anfiguri *72*
Soneto de Maio *73*

INÉDITOS

Sinto-me só como um seixo de praia *76*
Soneto ao caju *77*
Soneto da ilha *78*
Soneto do breve momento *79*
Soneto de luz e treva *80*
Soneto da desesperança *81*
Soneto a quatro mãos (com Paulo Mendes Campos) *82*
Soneto da mulher casual *83*
Soneto no sessentenário de Rubem Braga *84*

Índice dos poemas *87*
Sobre o autor *91*

ÁRIA PARA ASSOVIO

Inelutavelmente tu
Rosa sobre o passeio
Branca! e a melancolia
Na tarde do seio.

As cássias escorrem
Seu ouro a teus pés
Conheço o soneto
Porém tu quem és?

O madrigal se escreve:
Se é do teu costume
Deixa que eu te leve.

(Sê... mínima e breve
A música do perfume
Não guarda ciúme.)

Rio, 1936

SONETO A KATHERINE MANSFIELD

O teu perfume, amada — em tuas cartas
Renasce, azul... — são tuas mãos sentidas!
Relembro-as brancas, leves, fenecidas
Pendendo ao longo de corolas fartas.

Relembro-as, vou... nas terras percorridas
Torno a aspirá-lo, aqui e ali desperto
Paro; e tão perto sinto-te, tão perto
Como se numa foram duas vidas.

Pranto, tão pouca dor! tanto quisera
Tanto rever-te, tanto!... e a primavera
Vem já tão próxima!... (Nunca te apartas

Primavera, dos sonhos e das preces!)
E no perfume preso em tuas cartas
À primavera surges e esvaneces.

Rio, 1937

SONETO DE DEVOÇÃO

Essa mulher que se arremessa, fria
E lúbrica aos meus braços, e nos seios
Me arrebata e me beija e balbucia
Versos, votos de amor e nomes feios.

Essa mulher, flor de melancolia
Que se ri dos meus pálidos receios
A única entre todas a quem dei
Os carinhos que nunca a outra daria.

Essa mulher que a cada amor proclama
A miséria e a grandeza de quem ama
E guarda a marca dos meus dentes nela.

Essa mulher é um mundo! — uma cadela
Talvez... — mas na moldura de uma cama
Nunca mulher nenhuma foi tão bela!

Rio, 1937

SONETO DE INTIMIDADE

Nas tardes de fazenda há muito azul demais.
Eu saio às vezes, sigo pelo pasto, agora
Mastigando um capim, o peito nu de fora
No pijama irreal de há três anos atrás.

Desço o rio no vau dos pequenos canais
Para ir beber na fonte a água fria e sonora
E se encontro no mato o rubro de uma amora
Vou cuspindo-lhe o sangue em torno dos currais.

Fico ali respirando o cheiro bom do estrume
Entre as vacas e os bois que me olham sem ciúme
E quando por acaso uma mijada ferve

Seguida de um olhar não sem malícia e verve
Nós todos, animais, sem comoção nenhuma
Mijamos em comum numa festa de espuma.

Campo Belo, 1937

SONETO DE CONTRIÇÃO

Eu te amo, Maria, te amo tanto
Que o meu peito me dói como em doença
E quanto mais me seja a dor intensa
Mais cresce na minha alma teu encanto.

Como a criança que vagueia o canto
Ante o mistério da amplidão suspensa
Meu coração é um vago de acalanto
Berçando versos de saudade imensa.

Não é maior o coração que a alma
Nem melhor a presença que a saudade
Só te amar é divino, e sentir calma...

E é uma calma tão feita de humildade
Que tão mais te soubesse pertencida
Menos seria eterno em tua vida.

Rio, 1938

SONETO À LUA

Por que tens, por que tens olhos escuros
E mãos lânguidas, loucas e sem fim
Quem és, que és tu, não eu, e estás em mim
Impuro, como o bem que está nos puros?

Que paixão fez-te os lábios tão maduros
Num rosto como o teu criança assim
Quem te criou tão boa para o ruim
E tão fatal para os meus versos duros?

Fugaz, com que direito tens-me presa
A alma que por ti soluça nua
E não és Tatiana e nem Teresa:

E és tão pouco a mulher que anda na rua
Vagabunda, patética, indefesa
Ó minha branca e pequenina lua!

Rio, 1938

SONETO DE SEPARAÇÃO

De repente do riso fez-se o pranto
Silencioso e branco como a bruma
E das bocas unidas fez-se a espuma
E das mãos espalmadas fez-se o espanto.

De repente da calma fez-se o vento
Que dos olhos desfez a última chama
E da paixão fez-se o pressentimento
E do momento imóvel fez-se o drama.

De repente, não mais que de repente
Fez-se de triste o que se fez amante
E de sozinho o que se fez contente.

Fez-se do amigo próximo o distante
Fez-se da vida uma aventura errante
De repente, não mais que de repente.

Oceano Atlântico, a bordo do Highland Patriot, *a caminho da Inglaterra, setembro de 1938*

SONETO DE OXFORD

Oh, partir pela noite enluarada
No puro anseio de chegar lá onde
A minha doce e fugitiva amada
Na madrugada, trêmula, se esconde...

Oh, sentir palpitar em cada fronde
O amor, oculto; e ouvir a voz velada
Da última estrela que do céu responde
Numa cintilação inesperada...

Oh, cruzar solidões, viver soturnas
Magias, e entre lágrimas noturnas
Ver o tempo passar, hora por hora

Para o instante em que, isenta de desejo
Ela despertará sob o meu beijo
Enquanto a treva se desfaz lá fora...

Oxford, 1938

SONETO DO MAIOR AMOR

Maior amor nem mais estranho existe
Que o meu, que não sossega a coisa amada
E quando a sente alegre, fica triste
E se a vê descontente, dá risada.

E que só fica em paz se lhe resiste
O amado coração, e que se agrada
Mais da eterna aventura em que persiste
Que de uma vida mal-aventurada.

Louco amor meu, que quando toca, fere
E quando fere vibra, mas prefere
Ferir a fenecer — e vive a esmo

Fiel à sua lei de cada instante
Desassombrado, doido, delirante
Numa paixão de tudo e de si mesmo.

Oxford, 1938

SONETO DE AGOSTO

Tu me levaste, eu fui... Na treva, ousados
Amamos, vagamente surpreendidos
Pelo ardor com que estávamos unidos
Nós que andávamos sempre separados.

Espantei-me, confesso-te, dos brados
Com que enchi teus patéticos ouvidos
E achei rude o calor dos teus gemidos
Eu que sempre os julgara desolados.

Só assim arrancara a linha inútil
Da tua eterna túnica inconsútil...
E para a glória do teu ser mais franco

Quisera que te vissem como eu via
Depois, à luz da lâmpada macia
O púbis negro sobre o corpo branco.

Oxford, 1938

QUATRO SONETOS DE MEDITAÇÃO

I

Mas o instante passou. A carne nova
Sente a primeira fibra enrijecer
E o seu sonho infinito de morrer
Passa a caber no berço de uma cova.

Outra carne virá. A primavera
É carne, o amor é seiva eterna e forte
Quando o ser que viveu unir-se à morte
No mundo uma criança nascerá.

Importará jamais por quê? Adiante
O poema é translúcido, e distante
A palavra que vem do pensamento

Sem saudade. Não ter contentamento.
Ser simples como o grão de poesia
E íntimo como a melancolia.

II

Uma mulher me ama. Se eu me fosse
Talvez ela sentisse o desalento
Da árvore jovem que não ouve o vento
Inconstante e fiel, tardio e doce

Na sua tarde em flor. Uma mulher
Me ama como a chama ama o silêncio
E o seu amor vitorioso vence
O desejo da morte que me quer.

Uma mulher me ama. Quando o escuro
Do crepúsculo mórbido e maduro
Me leva a face ao gênio dos espelhos

E eu, moço, busco em vão meus olhos velhos
Vindos de ver a morte em mim divina:
Uma mulher me ama e me ilumina.

III

O efêmero. Ora, um pássaro no vale
Cantou por um momento, outrora, mas
O vale escuta ainda envolto em paz
Para que a voz do pássaro não cale.

E uma fonte futura, hoje primária
No seio da montanha, irromperá
Fatal, da pedra ardente, e levará
À voz a melodia necessária.

O efêmero. E mais tarde, quando antigas
Se fizerem as flores, e as cantigas
A uma nova emoção morrerem, cedo

Quem conhecer o vale e o seu segredo
Nem sequer pensará na fonte, a sós...
Porém o vale há de escutar a voz.

IV

Apavorado acordo, em treva. O luar
É como o espectro do meu sonho em mim
E sem destino, e louco, sou o mar
Patético, sonâmbulo e sem fim.

Desço na noite, envolto em sono; e os braços
Como ímãs, atraio o firmamento
Enquanto os bruxos, velhos e devassos
Assoviam de mim na voz do vento.

Sou o mar! sou o mar! meu corpo informe
Sem dimensão e sem razão me leva
Para o silêncio onde o Silêncio dorme

Enorme. E como o mar dentro da treva
Num constante arremesso largo e aflito
Eu me espedaço em vão contra o infinito.

Oxford, 1938

SONETO DE CARNAVAL

Distante o meu amor, se me afigura
O amor como um patético tormento
Pensar nele é morrer de desventura
Não pensar é matar meu pensamento.

Seu mais doce desejo se amargura
Todo o instante perdido é um sofrimento
Cada beijo lembrado uma tortura
Um ciúme do próprio ciumento.

E vivemos partindo, ela de mim
E eu dela, enquanto breves vão-se os anos
Para a grande partida que há no fim

De toda a vida e todo o amor humanos:
Mas tranquila ela sabe, e eu sei tranquilo
Que se um fica o outro parte a redimi-lo.

Oxford, Carnaval de 1939

ALLEGRO

Sente como vibra
Doidamente em nós
Um vento feroz
Estorcendo a fibra

Dos caules informes
E as plantas carnívoras
De bocas enormes
Lutam contra as víboras

E os rios soturnos
Ouve como vazam
A água corrompida

E as sombras se casam
Nos raios noturnos
Da lua perdida.

Oxford, 1939

SONETO DE VÉSPERA

Quando chegares e eu te vir chorando
De tanto te esperar, que te direi?
E da angústia de amar-te, te esperando
Reencontrada, como te amarei?

Que beijo teu de lágrima terei
Para esquecer o que vivi lembrando
E que farei da antiga mágoa quando
Não puder te dizer por que chorei?

Como ocultar a sombra em mim suspensa
Pelo martírio da memória imensa
Que a distância criou — fria de vida

Imagem tua que eu compus serena
Atenta ao meu apelo e à minha pena
E que quisera nunca mais perdida...

Oxford, 1939

SONETO A OTÁVIO DE FARIA

Não te vira cantar sem voz, chorar
Sem lágrimas, e lágrimas e estrelas
Desencantar, e mudo recolhê-las
Para lançá-las fulgurando ao mar?

Não te vira no bojo secular
Das praias, desmaiar de êxtase nelas
Ao cansaço viril de percorrê-las
Entre os negros abismos do luar?

Não te vira ferir o indiferente
Para lavar os olhos da impostura
De uma vida que cala e que consente?

Vira-te tudo, amigo! coisa pura
Arrancada da carne intransigente
Pelo trágico amor da criatura.

Oxford, 1939

SONETINHO A PORTINARI

O pintor pequeno
O grande pintor
Ruim como um veneno
Bom como uma flor

Vi-o da Inglaterra
Uma tarde, vi-o
No ermo, vadio
Brodósqui onde a terra

É cor de pintura
Muito louro, vi-o
Dentro da moldura

De um quadro de aurora
O olhar azul frio:
— Lá ia ele embora...

Oxford, 1939

SONETO AO INVERNO

Inverno, doce inverno das manhãs
Translúcidas, tardias e distantes
Propício ao sentimento das irmãs
E ao mistério da carne das amantes:

Quem és, que transfiguras as maçãs
Em iluminações dessemelhantes
E enlouqueces as rosas temporãs
Rosa dos ventos, rosa dos instantes?

Por que ruflaste as tremulantes asas
Alma do céu? o amor das coisas várias
Fez-te migrar — inverno sobre casas!

Anjo tutelar das luminárias
Preservador de santas e de estrelas...
Que importa a noite lúgubre escondê-las?

Londres, 1939

SONETO DE LONDRES

Que angústia estar sozinho na tristeza
E na prece! que angústia estar sozinho
Imensamente, na inocência! acesa
A noite, em brancas trevas o caminho

Da vida, e a solidão do burburinho
Unindo as almas frias à beleza
Da neve vã; oh, tristemente assim
O sonho, neve pela natureza!

Irremediável, muito irremediável
Tanto como essa torre medieval
Cruel, pura, insensível, inefável

Torre; que angústia estar sozinho! ó alma
Que ideal perfume, que fatal
Torpor te despetala a flor do céu?

Londres, 1939

EPITÁFIO

Aqui jaz o Sol
Que criou a aurora
E deu a luz ao dia
E apascentou a tarde

O mágico pastor
De mãos luminosas
Que fecundou as rosas
E as despetalou.

Aqui jaz o Sol
O andrógino meigo
E violento, que

Possuiu a forma
De todas as mulheres
E morreu no mar.

Oxford, 1939

SONETO DE FIDELIDADE

De tudo, ao meu amor serei atento
Antes, e com tal zelo, e sempre, e tanto
Que mesmo em face do maior encanto
Dele se encante mais meu pensamento.

Quero vivê-lo em cada vão momento
E em seu louvor hei de espalhar meu canto
E rir meu riso e derramar meu pranto
Ao seu pesar ou seu contentamento.

E assim, quando mais tarde me procure
Quem sabe a morte, angústia de quem vive
Quem sabe a solidão, fim de quem ama

Eu possa me dizer do amor (que tive):
Que não seja imortal, posto que é chama
Mas que seja infinito enquanto dure.

Estoril, outubro de 1939

PÔR DO SOL EM ITATIAIA

Nascentes efêmeras
Em clareiras súbitas
Entre as luzes tardas
Do imenso crepúsculo.

Negros megalitos
Em doce decúbito
Sob o peso frágil
Da pálida abóbada.

Calmo, subjacente
O vale infinito
A estender-se múltiplo

Inventando espaços
Dilatando a angústia
Criando o silêncio...

Campo Belo, 1940

SONETO DE DESPEDIDA

Uma lua no céu apareceu
Cheia e branca; foi quando, emocionada
A mulher a meu lado estremeceu
E se entregou sem que eu dissesse nada.

Larguei-as pela jovem madrugada
Ambas cheias e brancas e sem véu
Perdida uma, a outra abandonada
Uma nua na terra, outra no céu.

Mas não partira delas; a mais louca
Apaixonou-me o pensamento; dei-o
Feliz — eu de amor pouco e vida pouca

Mas que tinha deixado em meu enleio
Um sorriso de carne em sua boca
Uma gota de leite no seu seio.

Rio, 1940

O ESCÂNDALO DA ROSA

Oh rosa que raivosa
Assim carmesim
Quem te fez zelosa
O carme tão ruim?

Que anjo ou que pássaro
Roubou tua cor
Que ventos passaram
Sobre o teu pudor

Coisa milagrosa
De rosa de mate
De bom para mim

Rosa glamourosa?
Oh rosa que escarlate:
No mesmo jardim!

SONETO DE QUARTA-FEIRA DE CINZAS

Por seres quem me foste, grave e pura
Em tão doce surpresa conquistada
Por seres uma branca criatura
De uma brancura de manhã raiada

Por seres de uma rara formosura
Malgrado a vida dura e atormentada
Por seres mais que a simples aventura
E menos que a constante namorada

Porque te vi nascer, de mim sozinha
Como a noturna flor desabrochada
A uma fala de amor, talvez perjura

Por não te possuir, tendo-te minha
Por só quereres tudo, e eu dar-te nada
Hei de lembrar-te sempre com ternura.

Rio, 1941

SONETO DA MULHER INÚTIL

De tanta graça e de leveza tanta
Que quando sobre mim, como a teu jeito
Eu tão de leve sinto-te no peito
Que o meu próprio suspiro te levanta.

Tu, contra quem me esbato liquefeito
Rocha branca! brancura que me espanta
Brancos seios azuis, nívea garganta
Branco pássaro fiel com que me deito.

Mulher inútil, quando nas noturnas
Celebrações, náufrago em teus delírios
Tenho-te toda, branca, envolta em brumas.

São teus seios tão tristes como urnas
São teus braços tão finos como lírios
É teu corpo tão leve como plumas.

Rio, 1942

SONETO DE ANIVERSÁRIO

Passem-se dias, horas, meses, anos
Amadureçam as ilusões da vida
Prossiga ela sempre dividida
Entre compensações e desenganos.

Faça-se a carne mais envilecida
Diminuam os bens, cresçam os danos
Vença o ideal de andar caminhos planos
Melhor que levar tudo de vencida.

Queira-se antes ventura que aventura
À medida que a têmpora embranquece
E fica tenra a fibra que era dura.

E eu te direi: amiga minha, esquece...
Que grande é este amor meu de criatura
Que vê envelhecer e não envelhece.

Rio, 1942

SONETO A LASAR SEGALL

De inescrutavelmente no que pintas
Como num amplo espaço de agonias
Imarcescível música de tintas
A arder na lucidez das coisas frias:

Tão patéticas sois, tão sonolentas
Cores que o meu olhar mortificais
Entre verdes crestados e cinzentas
Ferrugens no prelúdio dos metais.

Que segredo recobre a velha pátina
Por onde a luz se filtra quase tímida
Do espaço silencioso que esculpiste

Para pintar sem gritos de escarlate
Na profunda revolta contra o crime
Daqueles que fizeram a vida triste?...

Rio, 1942

SONETO DE UM DOMINGO

Em casa há muita paz por um domingo assim.
A mulher dorme, os filhos brincam, a chuva cai...
Esqueço de quem sou para sentir-me pai
E ouço na sala, num silêncio ermo e sem fim,

Um relógio bater, e outro dentro de mim...
Olho o jardim úmido e agreste: isso distrai
Vê-lo, feroz, florir mesmo onde o sol não vai
A despeito do vento e da terra que é ruim.

Na verdade é o infinito essa casa pequena
Que me amortalha o sonho e abriga a desventura
E a mão de uma mulher fez simples, pura e amena.

Deus que és pai como eu e a estimas, porventura:
Quando for minha vez, dá-me que eu vá sem pena
Levando apenas esse pouco que não dura.

Rio, setembro de 1944

SONETO DA ROSA

Mais um ano na estrada percorrida
Vem, como o astro matinal, que a adora
Molhar de puras lágrimas de aurora
A morna rosa escura e apetecida.

E da fragrante tepidez sonora
No recesso, como ávida ferida
Guardar o plasma múltiplo da vida
Que a faz materna e plácida, e agora

Rosa geral de sonho e plenitude
Transforma em novas rosas de beleza
Em novas rosas de carnal virtude

Para que o sonho viva da certeza
Para que o tempo da paixão não mude
Para que se una o verbo à natureza.

Rio, 1944

SONETO DO SÓ

(Parábola de Malte Laurids Brigge)

Depois foi só. O amor era mais nada
Sentiu-se pobre e triste como Jó
Um cão veio lamber-lhe a mão na estrada
Espantado, parou. Depois foi só.

Depois veio a poesia ensimesmada
Em espelhos. Sofreu de fazer dó
Viu a face de Cristo ensanguentada
Da sua, imagem — e orou. Depois foi só.

Depois veio o verão e veio o medo
Desceu de seu castelo até o rochedo
Sobre a noite e do mar lhe veio a voz

A anunciar os anjos sanguinários...
Depois cerrou os olhos solitários
E só então foi totalmente a sós.

Rio, 1946

BILHETE A BAUDELAIRE

Poeta, um pouco à tua maneira
E para distrair o *spleen*
Que estou sentindo vir a mim
Em sua ronda costumeira

Folheando-te, reencontro a rara
Delícia de me deparar
Com tua sordidez preclara
Na velha foto de Carjat

Que não revia desde o tempo
Em que te lia e te relia
A ti, a Verlaine, a Rimbaud...

Como passou depressa o tempo
Como mudou a poesia
Como teu rosto não mudou!

Los Angeles, 1947

NÃO COMEREI DA ALFACE
A VERDE PÉTALA

Não comerei da alface a verde pétala
Nem da cenoura as hóstias desbotadas
Deixarei as pastagens às manadas
E a quem mais aprouver fazer dieta.

Cajus hei de chupar, mangas-espadas
Talvez pouco elegantes para um poeta
Mas peras e maçãs, deixo-as ao esteta
Que acredita no cromo das saladas.

Não nasci ruminante como os bois
Nem como os coelhos, roedor; nasci
Omnívoro; deem-me feijão com arroz

E um bife, e um queijo forte, e parati
E eu morrerei, feliz, do coração
De ter vivido sem comer em vão.

Los Angeles, 1947

A PERA

Como de cera
E por acaso
Fria no vaso
A entardecer

A pera é um pomo
Em holocausto
À vida, como
Um seio exausto

Entre bananas
Supervenientes
E maçãs lhanas

Rubras, contentes
A pobre pera:
Quem manda ser a?

Los Angeles, 1947

TRÍPTICO NA MORTE DE
SERGEI MIKHAILOVITCH EISENSTEIN

I

Camarada Eisenstein, muito obrigado
Pelos dilemas, e pela montagem
De *Canal de Ferghana*, irrealizado
E outras afirmações. Tu foste a imagem

Em movimento. Agora, unificado
À tua própria imagem, muito mais
De ti, sobre o futuro projetado
Nos hás de restituir. Boa viagem

Camarada, através dos grandes gelos
Imensuráveis. Nunca vi mais belos
Céus que esses sob que caminhas, só

E infatigável, a despertar o assombro
Dos horizontes com tua câmara ao ombro.
Spasibo, tovarishch. Khorosho.

II

Pelas auroras imobilizadas
No instante anterior; pelos gerais
Milagres da matéria; pela paz
Da matéria; pelas transfiguradas

Faces da História; pelo conteúdo
Da História e em nome de seus grandes idos
Pela correspondência dos sentidos
Pela vida a pulsar dentro de tudo

Pelas nuvens errantes; pelos montes
Pelos inatingíveis horizontes
Pelos sons; pelas cores; pela voz

Humana; pelo Velho e pelo Novo
Pelo misterioso amor do povo
Spasibo, tovarishch. Khorosho.

III

O cinema é infinito — não se mede.
Não tem passado nem futuro. Cada
Imagem só existe interligada
À que a antecedeu e à que a sucede.

O cinema é a presciente antevisão
Na sucessão de imagens. O cinema
É o que não se vê, é o que não é
Mas resulta: a indizível dimensão.

Cinema é Odessa, imóvel na manhã
À espera do massacre; é *Nevski*; é *Ivan
O Terrível*; és tu, mestre! maior

Entre os maiores, grande destinado...
Muito bem, Eisenstein. Muito obrigado.
Spasibo, tovarishch. Khorosho.

Los Angeles, 12/2/1948

POÉTICA

De manhã escureço
De dia tardo
De tarde anoiteço
De noite ardo.

A oeste a morte
Contra quem vivo
Do sul cativo
O este é meu norte.

Outros que contem
Passo por passo:
Eu morro ontem

Nasço amanhã
Ando onde há espaço:
— Meu tempo é quando.

Nova York, 1950

SONETO DO AMOR TOTAL

Amo-te tanto, meu amor... não cante
O humano coração com mais verdade...
Amo-te como amigo e como amante
Numa sempre diversa realidade.

Amo-te afim, de um calmo amor prestante,
E te amo além, presente na saudade.
Amo-te, enfim, com grande liberdade
Dentro da eternidade e a cada instante.

Amo-te como um bicho, simplesmente
De um amor sem mistério e sem virtude
Com um desejo maciço e permanente.

E de te amar assim, muito e amiúde,
É que um dia em teu corpo de repente
Hei de morrer de amar mais do que pude.

Rio, 1951

SONETO DE FLORENÇA

Florença... que serenidade imensa
Nos teus campos remotos, de onde surgem
Em tons de terracota e de ferrugem
Torres, cúpulas, claustros: renascença

Das coisas que passaram mas que urgem...
Como em teu seio pareceu-me densa
A *selva oscura* onde silêncios rugem
No meio do caminho da descrença...

Que tristes sombras nos teus céus toscanos
Onde, em meu crime e meu remorso humanos
Julguei ver, na colina apascentada

Na forma de um cipreste impressionante
O grande vulto secular de Dante
Carpindo a morte da mulher amada...

Rio, janeiro de 1953

MÁSCARA MORTUÁRIA
DE GRACILIANO RAMOS

Feito só, sua máscara paterna,
Sua máscara tosca, de acre-doce
Feição, sua máscara austerizou-se
Numa preclara decisão eterna.

Feito só, feito pó, desencantou-se
Nele o íntimo arcanjo, a chama interna
Da paixão em que sempre se queimou
Seu duro corpo que ora longe inverna.

Feito pó, feito pólen, feito fibra
Feito pedra, feito o que é morto e vibra
Sua máscara enxuta de homem forte

Isto revela em seu silêncio à escuta:
Numa severa afirmação da luta,
Uma impassível negação da morte.

Rio, março de 1953

SONETO DA MAIORIDADE

O Sol, que pelas ruas da cidade
Revela as marcas do viver humano
Sobre teu belo rosto soberano
Espalha apenas pura claridade.

Nasceste para o Sol; és mocidade
Em plena floração, fruto sem dano
Rosa que enfloresceu, ano por ano
Para uma esplêndida maioridade.

Ao Sol, que é pai do tempo, e nunca mente
Hoje se eleva a minha prece ardente:
Não permita ele nunca que se afoite

A vida em ti, que é sumo de alegria
De maneira que tarde muito a noite
Sobre a manhã radiosa do teu dia.

Rio, 1954

SONETO DO CORIFEU

São demais os perigos desta vida
Para quem tem paixão, principalmente
Quando uma lua surge de repente
E se deixa no céu, como esquecida.

E se ao luar que atua desvairado
Vem se unir uma música qualquer
Aí então é preciso ter cuidado
Porque deve andar perto uma mulher.

Deve andar perto uma mulher que é feita
De música, luar e sentimento
E que a vida não quer, de tão perfeita.

Uma mulher que é como a própria Lua:
Tão linda que só espalha sofrimento
Tão cheia de pudor que vive nua.

Rio, 1956

SONETO DA MULHER AO SOL

Uma mulher ao sol — eis todo o meu desejo
Vinda do sal do mar, nua, os braços em cruz
A flor dos lábios entreaberta para o beijo
A pele a fulgurar todo o pólen da luz.

Uma linda mulher com os seios em repouso
Nua e quente de sol — eis tudo o que eu preciso
O ventre terso, o pelo úmido, e um sorriso
À flor dos lábios entreabertos para o gozo.

Uma mulher ao sol sobre quem me debruce
Em quem beba e a quem morda e com quem me lamente
E que ao se sùbmeter se enfureça e soluce

E tente me expelir, e ao me sentir ausente
Me busque novamente — e se deixa a dormir
Quando, pacificado, eu tiver de partir...

A bordo do Andréa C., *a caminho da França,*
novembro de 1956

SONETO DO AMOR COMO UM RIO

Este infinito amor de um ano faz
Que é maior do que o tempo e do que tudo
Este amor que é real, e que, contudo
Eu já não cria que existisse mais.

Este amor que surgiu insuspeitado
E que dentro do drama fez-se em paz
Este amor que é o túmulo onde jaz
Meu corpo para sempre sepultado.

Este amor meu é como um rio; um rio
Noturno, interminável e tardio
A deslizar macio pelo ermo

E que em seu curso sideral me leva
Iluminado de paixão na treva
Para o espaço sem fim de um mar sem termo.

Montevidéu, 1959

RETRATO DE MARIA LÚCIA

Tu vens de longe; a pedra
Suavizou seu tempo
Para entalhar-te o rosto
Ensimesmado e lento

Teu rosto como um templo
Voltado para o oriente
Remoto como o nunca
Eterno como o sempre

E que subitamente
Se aclara e movimenta
Como se a chuva e o vento

Cedessem seu momento
À pura claridade
Do sol do amor intenso!

Montevidéu, 1959

O ESPECTRO DA ROSA

Juntem-se vermelho
Rosa, azul e verde
E quebrem o espelho
Roxo para ver-te

Amada anadiômena
Saindo do banho
Qual rosa morena
Mais chá que laranja.

E salte o amarelo
Cinzento de ciúme
E envolta em seu chambre

Te leve castanha
Ao branco negrume
Do meu leito em chamas.

SONETO DE MONTEVIDÉU

Não te rias de mim, que as minhas lágrimas
São água para as flores que plantaste
No meu ser infeliz, e isso lhe baste
Para querer-te sempre mais e mais.

Não te esqueças de mim, que desvendaste
A calma ao meu olhar ermo de paz
Nem te ausentes de mim quando se gaste
Em ti esse carinho em que te esvais.

Não me ocultes jamais teu rosto; dize-me
Sempre esse manso adeus de quem aguarda
Um novo manso adeus que nunca tarda

Ao amante dulcíssimo que fiz-me
À tua pura imagem, ó anjo da guarda
Que não dás tempo a que a distância cisme.

Montevidéu, 1959

O VERBO NO INFINITO

Ser criado, gerar-se, transformar
O amor em carne e a carne em amor; nascer
Respirar, e chorar, e adormecer
E se nutrir para poder chorar

Para poder nutrir-se; e despertar
Um dia à luz e ver, ao mundo e ouvir
E começar a amar e então sorrir
E então sorrir para poder chorar.

E crescer, e saber, e ser, e haver
E perder, e sofrer, e ter horror
De ser e amar, e se sentir maldito

E esquecer tudo ao vir um novo amor
E viver esse amor até morrer
E ir conjugar o verbo no infinito...

Rio, 1960

OS QUATRO ELEMENTOS

I — O FOGO

O Sol, desrespeitoso do equinócio
Cobre o corpo da Amiga de desvelos
Amorena-lhe a tez, doura-lhe os pelos
Enquanto ela, feliz, desfaz-se em ócio.

E ainda, ademais, deixa que a brisa roce
O seu rosto infantil e os seus cabelos
De modo que eu, por fim, vendo o negócio
Não me posso impedir de pôr-me em zelos.

E pego, encaro o Sol com ar de briga
Ao mesmo tempo que, num desafogo
Proíbo-a formalmente que prossiga

Com aquele dúbio e perigoso jogo...
E para protegê-la, cubro a Amiga
Com a sombra espessa do meu corpo em fogo.

II — A TERRA

Um dia, estando nós em verdes prados
Eu e a Amada, a vagar, gozando a brisa
Ei-la que me detém nos meus agrados
E abaixa-se, e olha a terra, e a analisa

Com face cauta e olhos dissimulados
E, mais, me esquece; e, mais, se interioriza
Como se os beijos meus fossem mal dados
E a minha mão não fosse mais precisa.

Irritado, me afasto; mas a Amada
À minha zanga, meiga, me entretém
Com essa astúcia que o sexo lhe deu.

Mas eu que não sou bobo, digo nada...
Ah, é assim... (só penso). Muito bem:
Antes que a terra a coma, como eu.

III — O AR

Com mão contente a Amada abre a janela
Sequiosa de vento no seu rosto
E o vento, folgazão, entra disposto
A comprazer-se com a vontade dela.

Mas ao tocá-la e constatar que bela
E que macia, e o corpo que bem-posto
O vento, de repente, toma gosto
E por ali põe-se a brincar com ela.

Eu a princípio não percebo nada...
Mas ao notar depois que a Amada tem
Um ar confuso e uma expressão corada

A cada vez que o velho vento vem
Eu o expulso dali, e levo a Amada:
— Também brinco de vento muito bem!

IV — A ÁGUA

A água banha a Amada com tão claros
Ruídos, morna de banhar a Amada
Que eu, todo ouvidos, ponho-me a sonhar
Os sons como se foram luz vibrada.

Mas são tais os cochichos e descaros
Que, por seu doce peso deslocada
Diz-lhe a água, que eu friamente encaro
Os fatos, e disponho-me à emboscada.

E aguardo a Amada. Quando sai, obrigo-a
A contar-me o que houve entre ela e a água:
— Ela que me confesse! Ela que diga!

E assim arrasto-a à câmara contígua
Confusa de pensar, na sua mágoa
Que não sei como a água é minha amiga.

Montevidéu, abril de 1960

SONETO DA HORA FINAL

Será assim, amiga: um certo dia
Estando nós a contemplar o poente
Sentiremos no rosto, de repente
O beijo leve de uma aragem fria.

Tu me olharás silenciosamente
E eu te olharei também, com nostalgia
E partiremos, tontos de poesia
Para a porta de treva aberta em frente.

Ao transpor as fronteiras do Segredo
Eu, calmo, te direi: — Não tenhas medo
E tu, tranquila, me dirás — Sê forte.

E como dois antigos namorados
Noturnamente tristes e enlaçados
Nós entraremos nos jardins da morte.

Montevidéu, julho de 1960

SONETO A PABLO NERUDA

Quantos caminhos não fizemos juntos
Neruda, meu irmão, meu companheiro...
Mas este encontro súbito, entre muitos
Não foi ele o mais belo e verdadeiro?

Canto maior, canto menor — dois cantos
Fazem-se agora ouvir sob o Cruzeiro
E em seu recesso as cóleras e os prantos
Do homem chileno e do homem brasileiro

E o seu amor — o amor que hoje encontramos...
Por isso, ao se tocarem nossos ramos
Celebro-te ainda além, Cantor Geral

Porque como eu, bicho pesado, voas
Mas mais alto e melhor do céu entoas
Teu furioso canto material!

Atlântico Sul, a caminho do Rio, 1960

POÉTICA (II)

Com as lágrimas do tempo
E a cal do meu dia
Eu fiz o cimento
Da minha poesia.

E na perspectiva
Da vida futura
Ergui em carne viva
Sua arquitetura.

Não sei bem se é casa
Se é torre ou se é templo:
(Um templo sem Deus.)

Mas é grande e clara
Pertence ao seu tempo
— Entrai, irmãos meus!

Rio, 1960

O ANJO DAS PERNAS TORTAS

A Flávio Porto

A um passe de Didi, Garrincha avança
Colado o couro aos pés, o olhar atento
Dribla um, dribla dois, depois descansa
Como a medir o lance do momento.

Vem-lhe o pressentimento; ele se lança
Mais rápido que o próprio pensamento
Dribla mais um, mais dois; a bola trança
Feliz, entre seus pés — um pé de vento!

Num só transporte a multidão contrita
Em ato de morte se levanta e grita
Seu uníssono canto de esperança.

Garrincha, o anjo, escuta e atende: — Goooool!
É pura imagem: um G que chuta um o
Dentro da meta, um l. É pura dança!

Rio, 1962

SONETO NO SESSENTENÁRIO
DE RAFAEL ALBERTI

A luminosa lágrima que verte
Hoje de ti saudosa a tua Espanha
Quero bebê-la em forma de champanha
Na mesma taça em que bebeste, Alberti.

E brindaremos para que desperte
Num ímpeto feroz de touro em sanha
Sedenta de viver, a tua Espanha
Que um mau toureiro derrotou inerte.

Beberemos, irmão, por que bem haja
Teu povo malferido, e que reaja
E do encontro final, rútilo e forte

Reste na arena o touro sobranceiro
E pela arena, o sangue do toureiro
Conte que a vida renasceu da morte.

Petrópolis, 10/12/1962

SONETO DA ESPERA

Aguardando-te, amor, revejo os dias
Da minha infância já distante, quando
Eu ficava, como hoje, te esperando
Mas sem saber ao certo se virias.

E é bom ficar assim, quieto, lembrando
Ao longo de milhares de poesias
Que te estás sempre e sempre renovando
Para me dar maiores alegrias.

Dentro em pouco entrarás, ardente e loura
Como uma jovem chama precursora
Do fogo a se atear entre nós dois

E da cama, onde em ti me dessedento,
Tu te erguerás como o pressentimento
De uma mulher morena a vir depois.

Rio, abril de 1963

SONETO DA ROSA TARDIA

Como uma jovem rosa, a minha amada...
Morena, linda, esgalga, penumbrosa
Parece a flor colhida, ainda orvalhada
Justo no instante de tornar-se rosa.

Ah, por que não a deixas intocada
Poeta, tu que és pai, na misteriosa
Fragrância do seu ser, feito de cada
Coisa tão frágil que perfaz a rosa...

Mas (diz-me a Voz) por que deixá-la em haste
Agora que ela é rosa comovida
De ser na tua vida o que buscaste

Tão dolorosamente pela vida?
Ela é rosa, poeta... assim se chama...
Sente bem seu perfume... Ela te ama...

Rio, julho de 1963

SONETO DO GATO MORTO

Um gato vivo é qualquer coisa linda
Nada existe com mais serenidade
Mesmo parado ele caminha ainda
As selvas sinuosas da saudade

De ter sido feroz. À sua vinda
Altas correntes de eletricidade
Rompem do ar as lâminas em cinza
Numa silenciosa tempestade.

Por isso ele está sempre a rir de cada
Um de nós, e ao morrer perde o veludo
Fica torpe, ao avesso, opaco, torto

Acaba, é o antigato; porque nada
Nada parece mais com o fim de tudo
Que um gato morto.

Florença, novembro de 1963

ANFIGURI

Aquilo que eu ouso
Não é o que quero
Eu quero o repouso
Do que não espero.

Não quero o que tenho
Pelo que custou
Não sei de onde venho
Sei para onde vou.

Homem, sou a fera
Poeta, sou um louco
Amante, sou pai.

Vida, quem me dera...
Amor, dura pouco...
Poesia, ai!...

Rio, 1965

SONETO DE MAIO

Suavemente Maio se insinua
Por entre os véus de Abril, o mês cruel
E lava o ar de anil, alegra a rua
Alumbra os astros e aproxima o céu.

Até a lua, a casta e branca lua
Esquecido o pudor, baixa o dossel
E em seu leito de plumas fica nua
A destilar seu luminoso mel.

Raia a aurora tão tímida e tão frágil
Que através do seu corpo transparente
Dir-se-ia poder-se ver o rosto

Carregado de inveja e de presságio
Dos irmãos Junho e Julho, friamente
Preparando as catástrofes de Agosto...

Ouro Preto, maio de 1967

INÉDITOS

SINTO-ME SÓ COMO UM SEIXO DE PRAIA

Sinto-me só como um seixo de praia
Vivendo à busca no cristal das ondas,
Não sei se sou o que não sou. Pressinto
Que a maré vai morar no fundo d'alma.

Calo-me sempre se te escuto vindo
Marulho de incerteza e de agonia;
Há crenças deslizando nos meus traços,
Molhando a estátua do meu sonho antigo.

Declino-me nas frases dos rochedos
Nas pérolas de som do inesquecer
Na incrível sombra da montanha adulta.

E ao me curvar ao peso da memória,
Descubro meu reflexo obscuro
Num soneto de espumas inexatas.

SONETO AO CAJU

Amo na vida as coisas que têm sumo
E oferecem matéria onde pegar
Amo a noite, amo a música, amo o mar
Amo a mulher, amo o álcool e amo o fumo.

Por isso amo o caju, em que resumo
Esse materialismo elementar
Fruto de cica, fruto de manchar
Sempre mordaz, constantemente a prumo.

Amo vê-lo agarrado ao cajueiro
À beira-mar, a copular com o galho
A castanha brutal como que tesa:

O único fruto — não fruta — brasileiro
Que possui consistência de caralho
E carrega um culhão na natureza.

Hollywood, 28/9/1947

SONETO DA ILHA

Eu deitava na praia, a cabeça na areia
Abria as pernas aos alísios e ao luar
Tonto de maresia; e a mão da maré cheia
Vinha cocar meus pés com seus dedos de mar.

Longos êxtases tinha; amava a Deus em ânsia
E a uma nudez qualquer ávida de abandono
Enquanto ao longe a clarineta da distância
Era também um mar que me molhava o sono.

E adormecia assim, sonhando, vendo e ouvindo
Pulos de peixes, gritos frouxos, vozes rindo
E a lua virginal arder no plexo

Estelar, e o marulho das ondas sucessivas
Da monção, até que alguma entre as mais vivas
Mansa, viesse desaguar pelo meu sexo.

SONETO DO BREVE MOMENTO

Plumas de ninhos em teus seios; urnas
De rubras flores em teu ventre; flores
Por todo corpo teu, terso das dores
De primaveras loucas e noturnas.

Pântanos vegetais em tuas pernas
A fremir de serpentes e de sáurios
Itinerantes pelos multivários
Rios de águas estáticas e eternas.

Feras bramindo nas estepes frias
De tuas brancas nádegas vazias
Como um deserto transmudado em neve.

E em meio a essa inumana fauna e flora
Eu, nu e só, a ouvir o Homem que chora
A vida e a morte no momento breve.

Belo Horizonte, 31/3/1952

SONETO DE LUZ E TREVA

Para a minha Gesse,
e para que ilumine sempre a minha noite

Ela tem uma graça de pantera
No andar bem-comportado de menina.
No molejo em que vem sempre se espera
Que de repente ela lhe salte em cima.

Mas súbito renega a bela e a fera
Prende o cabelo, vai para a cozinha
E de um ovo estrelado na panela
Ela com clara e gema faz o dia.

Ela é de capricórnio, eu sou de libra
Eu sou o Oxalá velho, ela é Inhansã
A mim me enerva o ardor com que ela vibra

E que a motiva desde de manhã.
— Como é que pode, digo-me com espanto
A luz e a treva se quererem tanto...

Itapuã, 8/12/1971

SONETO DA DESESPERANÇA

De não poder viver na esperança
Transformou-a em estátua e deu-lhe um nicho
Secreto, onde ao sabor do seu capricho
Fugisse a vê-la como uma criança.

Tão cauteloso fez-se em seus cuidados
De não mostrá-la ao mundo, que a queria
Que por zelo demais, ficaram um dia
Irremediavelmente separados.

Mas eram tais os seus ciúmes dela
Tão grande a dor de não poder vivê-la,
Que em desespero, resolveu-se: — Mato-a.

E foi assim que triste como um bicho
Uma noite subiu até o nicho
E abriu o coração diante da estátua.

SONETO A QUATRO MÃOS

com Paulo Mendes Campos

Tudo de amor que existe em mim foi dado.
Tudo que fala em mim de amor foi dito.
Do nada em mim o amor fez o infinito
Que por muito tornou-me escravizado.

Tão pródigo de amor fiquei coitado
Tão fácil para amar fiquei proscrito
Cada voto que fiz ergueu-se em grito
Contra o meu próprio dar demasiado.

Tenho dado de amor mais que coubesse
Nesse meu pobre coração humano
Desse eterno amor meu antes não desse.

Pois se por tanto dar me fiz engano
Melhor fora que desse e recebesse
Para viver da vida o amor sem dano.

12/8/1945

SONETO DA MULHER CASUAL

Por não seres aquela que eu buscava
Nem do meu ontem nada recordares,
Por não haver, aquém e além dos mares,
Alguém mais relva e seda, avena e lava;

Por o efêmero e o vão me revelares
Dos ídolos antigos que adorava
E por assim sem cânticos chegares
Quando de tudo eu já desesperava;

E por seres feliz e por quereres
A alguém que é feliz, até o resto
De mim, quando talvez nem mais viveres,

Serás, inesperada e longe amiga,
Presente em todo pensamento, gesto
E palavra de amor que tenha e diga.

SONETO NO SESSENTENÁRIO
DE RUBEM BRAGA

Sessenta anos não são sessenta dias
Nem sessenta minutos, nem segundos...
Não são frações de tempo, são fecundos
Zodíacos, em penas e alegrias.

São sessenta cometas oriundos
Da infinita galáxia, nas sombrias
Paragens onde Deus resgata mundos
Desse caos sideral de estrelas-guias.

São sessenta caminhos resumidos
Num só; sessenta saltos que se tenta
Na direção de sóis desconhecidos

Em que a busca a si mesma se contenta
Sem saber que só encontra tempos idos...
Não são seis, nem seiscentos: são sessenta!

Itaguá, 12/1/1973

Esta edição teve como base aquela publicada pela Editora Nova Aguilar, organizada por Afrânio Coutinho com assistência do autor; eventuais alterações tomaram como guia a edição da Livraria José Olympio Editora. Os nove últimos sonetos são inéditos.

ÍNDICE DOS POEMAS

Agosto, Soneto de, 18
"Aguardando-te, amor, revejo os dias...", 69
Allegro, 24
"Amo na vida as coisas que têm sumo...", 77
"Amo-te tanto, meu amor... não cante...", 49
Amor como um rio, Soneto do, 55
Amor total, Soneto do, 49
Anfiguri, 72
Aniversário, Soneto de, 37
Anjo das pernas tortas, O, 67
"Aqui jaz o Sol...", 30
"Aquilo que eu ouso...", 72
Ária para assovio, 9

Bilhete a Baudelaire, 42
Breve momento, Soneto do, 79

Caju, Soneto ao, 77
"Camarada Eisenstein, muito obrigado...", 45
Carnaval, Soneto de, 23
"Com as lágrimas do tempo...", 66
"Como de cera...", 44
"Como uma jovem rosa, a minha amada...", 70
Contrição, Soneto de, 13
Corifeu, Soneto do, 53

"De inescrutavelmente no que pintas...", 38
"De manhã escureço...", 48

"De não poder viver na esperança...", 81
"De repente do riso fez-se o pranto...", 15
"De tanta graça e de leveza tanta...", 36
"De tudo, ao meu amor serei atento...", 31
"Depois foi só. O amor era mais nada...", 41
Desesperança, Soneto de, 81
Despedida, Soneto de, 33
Devoção, Soneto de, 11
"Distante o meu amor, se me afigura...", 23
Domingo, Soneto de um, 39

"Ela tem uma graça de pantera...", 80
"Em casa há muita paz por um domingo assim...", 39
Epitáfio, 30
Escândalo da Rosa, O, 34
Espectro da Rosa, O, 57
Espera, Soneto da, 69
"Essa mulher que se arremessa, fria...", 11
"Este infinito amor de um ano faz...", 55
"Eu deitava na praia, a cabeça na areia...", 78
"Eu te amo, Maria, te amo tanto...", 13

"Feito só, sua máscara paterna...", 51
Fidelidade, Soneto de, 31

Florença, Soneto de, 50
"Florença ... que serenidade imensa...", 50

Gato morto, Soneto do, 71
"Gato vivo é qualquer coisa linda..., Um", 71

Hora final, Soneto da, 64

Ilha, Soneto da, 78
"Inelutavelmente tu...", 9
Intimidade, Soneto de, 12
"Inverno, doce inverno das manhãs...", 28
Inverno, Soneto ao, 28

"Juntem-se vermelho...", 57

Katherine Mansfield, Soneto a, 10

Lasar Segall, Soneto a, 38
Londres, Soneto de, 29
"Lua no céu apareceu..., Uma", 33
Lua, Soneto à, 14
"Luminosa lágrima que verte..., A", 68
Luz e treva, Soneto de, 80

Maio, Soneto de, 73
Maior amor, Soneto do, 17
"Maior amor nem mais estranho existe...", 17
Maioridade, Soneto da, 52
"Mais um ano na estrada percorrida...", 40
"Mas o instante passou. A carne nova...", 19
Máscara mortuária de Graciliano Ramos, 51
Meditação, Quatro sonetos de, 19
Montevidéu, Soneto de, 58
"Mulher ao sol — eis todo o meu desejo..., Uma", 54

Mulher ao sol, Soneto da, 54
Mulher casual, Soneto da, 83
Mulher inútil, Soneto da, 36

"Não comerei da alface a verde pétala", 43
Não comerei da alface a verde pétala, 43
"Não te rias de mim, que as minhas lágrimas...", 58
"Não te vira cantar sem voz, chorar...", 26
"Nas tardes da fazenda há muito azul demais...", 12
"Nascentes efêmeras...", 32

"Oh, partir pela noite enluarada...", 16
"Oh rosa que raivosa...", 34
Otávio de Faria, Soneto a, 26
Oxford, Soneto de, 16

Pablo Neruda, Soneto a, 65
"Passem-se dias, horas, meses, anos...", 37
"Passe de Didi, Garrincha avança ..., A um", 67
Pera, A, 44
"Pintor pequeno... O", 27
"Plumas de ninhos em teus seios; urnas...", 79
"Poeta, um pouco à tua maneira...", 42
Poética (I), 48
Poética (II), 66
Pôr do sol em Itatiaia, 32
"Por não seres aquela que eu buscava...", 83
"Por que tens, por que tens olhos escuros...", 14
"Por seres quem me foste, grave e pura...", 35
Portinari, Sonetinho a, 27

"Quando chegares e eu te vir chorando...", 25
"Quantos caminhos não fizemos juntos...", 65
Quarta-feira de cinzas, Soneto de, 35
Quatro elementos, Os, 60
Quatro mãos, Soneto a, 82
Quatro sonetos de meditação, 19
"Que angústia estar sozinho na tristeza...", 29

Retrato de Maria Lúcia, 56
Rosa, Soneto da, 40
Rosa tardia, Soneto da, 70

"São demais os perigos desta vida...", 53
"Sente como vibra...", 24
Separação, Soneto de, 15
"Ser criado, gerar-se, transformar...", 59
"Será assim, amiga: um certo dia...", 64
"Sessenta anos não são sessenta dias...", 84
Sessentenário de Rafael Alberti, Soneto no, 68
Sessentenário de Rubem Braga, Soneto no, 84
"Sinto-me só como um seixo de praia...", 76
Sinto-me só como um seixo de praia, 76
Só, Soneto do (Parábola de Malte Laurids Brigge), 41
"Sol, desrespeitoso do equinócio..., O", 60
"Sol, que pelas ruas da cidade..., O", 52
Soneto a..., *procure pela palavra seguinte*
"Suavemente Maio se insinua...", 73

"Teu perfume, amada — em tuas cartas..., O", 10
Tríptico na morte de Sergei Mikhailovitch Eisenstein, 45
"Tu me levaste, eu fui... Na treva, ousados...", 18
"Tu vens de longe; a pedra...", 56
"Tudo de amor que existe em mim foi dado...", 82

Verbo no infinito, O, 59
Véspera, Soneto de, 25

VINICIUS DE MORAES nasceu no dia 19 de outubro de 1913, na ilha do Governador, no Rio de Janeiro. Cursou a Faculdade de Direito da rua do Catete e a Universidade de Oxford, onde estudou língua e literatura inglesas. Em 1943, entrou para o Itamaraty, assumindo em 1946 seu primeiro posto diplomático, de vice-cônsul em Los Angeles. Poeta, cronista e dramaturgo, em 1953 conheceu Antonio Carlos Jobim e iniciou um apaixonado envolvimento com a música brasileira, tornando-se um de seus maiores letristas. Vinicius morreu no dia 9 de julho de 1980, em sua casa, no Rio de Janeiro.

"A sua poesia combina de maneira admirável o requinte da fatura com a expressão íntegra das emoções. A espontaneidade foi a sua mais bela construção."

Antonio Candido

"[Vinicius de Moraes tem] o fôlego dos românticos, a espiritualidade dos simbolistas, a perícia dos parnasianos (sem refugar, como estes, as sutilezas barrocas), e, finalmente, homem bem do seu tempo, a liberdade [...] dos modernos."

Manuel Bandeira

"Vinicius, vário e diverso. De catimbeiro, safo e picardo a lírico, fino e universal. Da verbosidade esparramada à economia fidalga, subida, elegante, consumada de um dos altos sonetistas que o idioma teve."

João Antônio

OBRAS PUBLICADAS PELA COMPANHIA DAS LETRAS

Antologia poética
O caminho para a distância
O cinema de meus olhos
As coisas do alto: poemas de formação
Forma e exegese e Ariana, a mulher
História natural de Pablo Neruda
Jardim noturno: poemas inéditos
Livro de letras
Jazz & Co.
Livro de sonetos
Uma mulher chamada guitarra
Nova antologia poética
Novos poemas e cinco elegias
Novos poemas II
Orfeu da Conceição
Para uma menina com uma flor
Para viver um grande amor
Poemas esparsos
Poemas, sonetos e baladas e Pátria minha
Pois sou um bom cozinheiro
Querido poeta: correspondência de Vinicius de Moraes
Roteiro lírico e sentimental da cidade do Rio de Janeiro e outros lugares por onde passou e se encantou o poeta
Teatro em versos
Vinicius Menino

LIVROS INFANTIS

A arca de Noé
O poeta aprendiz

COMPANHIA DE BOLSO

Jorge AMADO
Capitães da Areia

Hannah ARENDT
Homens em tempos sombrios

Philippe ARIÈS, Roger CHARTIER (Orgs.)
História da vida privada 3 — Da Renascença ao Século das Luzes

Karen ARMSTRONG
Em nome de Deus
Uma história de Deus

Paul AUSTER
O caderno vermelho

Marshall BERMAN
Tudo que é sólido desmancha no ar

Jean-Claude BERNARDET
Cinema brasileiro: propostas para uma história

David Eliot BRODY, Arnold R. BRODY
As sete maiores descobertas científicas da história

Bill BUFORD
Entre os vândalos

Jacob BURCKHARDT
A cultura do Renascimento na Itália

Peter BURKE
Cultura popular na Idade Moderna

Italo CALVINO
O barão nas árvores
O cavaleiro inexistente
Fábulas italianas
Por que ler os clássicos

Bernardo CARVALHO
Nove noites

Jorge G. CASTAÑEDA
Che Guevara: a vida em vermelho

Ruy CASTRO
Chega de saudade
Mau humor

Louis-Ferdinand CÉLINE
Viagem ao fim da noite

Jung CHANG
Cisnes selvagens

Catherine CLÉMENT
A viagem de Théo

Joseph CONRAD
Coração das trevas
Nostromo

Charles DARWIN
A expressão das emoções no homem e nos animais

Jean DELUMEAU
História do medo no Ocidente

Georges DUBY (Org.)
História da vida privada 2 — Da Europa feudal à Renascença

Mário FAUSTINO
O homem e sua hora

Rubem FONSECA
Agosto
A grande arte

Meyer FRIEDMAN, Gerald W. FRIEDLAND
As dez maiores descobertas da medicina

Jostein GAARDER
O dia do Curinga
Vita brevis

Jostein GAARDER, Victor HELLERN, Henry NOTAKER
O livro das religiões

Fernando GABEIRA
O que é isso companheiro?

Luiz Alfredo GARCIA-ROZA
O silêncio da chuva

Eduardo GIANNETTI
Auto-engano
Vícios privados, benefícios públicos?

Edward GIBBON
Declínio e queda do Império Romano

Carlo GINZBURG
O queijo e os vermes

Marcelo GLEISER
A dança do Universo

Tomás Antônio GONZAGA
Cartas chilenas

Philip GOUREVITCH
Gostaríamos de informá-lo de que amanhã seremos mortos com nossas famílias

Milton HATOUM
Dois irmãos
Relato de um certo Oriente

Eric HOBSBAWM
O novo século

Albert HOURANI
Uma história dos povos árabes

Henry JAMES
Os espólios de Poynton
Retrato de uma senhora

Ismail KADARÉ
Abril despedaçado

Franz KAFKA
O castelo
O processo

John KEEGAN
Uma história da guerra

Amyr KLINK
Cem dias entre céu e mar

Jon KRAKAUER
No ar rarefeito

Milan KUNDERA
A arte do romance
A identidade
A insustentável leveza do ser
O livro do riso e do esquecimento

Danuza LEÃO
Na sala com Danuza

Paulo LINS
Cidade de Deus

Gilles LIPOVETSKY
O império do efêmero

Claudio MAGRIS
Danúbio

Naghib MAHFOUZ
Noites das mil e uma noites

Javier MARÍAS
Coração tão branco

Ian McEWAN
O jardim de cimento

Heitor MEGALE (Org.)
A demanda do Santo Graal

Evaldo Cabral de MELLO
O nome e o sangue

Patrícia MELO
O matador

Luiz Alberto MENDES
Memórias de um sobrevivente

Jack MILES
Deus: uma biografia

Ana MIRANDA
Boca do Inferno

Vinicius de MORAES
Livro de sonetos
Antologia poética

Fernando MORAIS
Olga

Toni MORRISON
Jazz

Vladimir NABOKOV
Lolita

Friedrich NIETZSCHE
Além do bem e do mal
Ecce homo
Genealogia da moral
Humano, demasiado humano
O nascimento da tragédia

Adauto NOVAES (Org.)
Ética
Os sentidos da paixão

Michael ONDAATJE
O paciente inglês

Malika OUFKIR, Michèle FITOUSSI
Eu, Malika Oufkir, prisioneira do rei

Amós OZ
A caixa-preta

José Paulo PAES (Org.)
Poesia erótica em tradução

Georges PEREC
A vida: modo de usar

Michelle PERROT (Org.)
História da vida privada 4 — Da Revolução Francesa à Primeira Guerra

Fernando PESSOA
Livro do desassossego
Poesia completa de Alberto Caeiro
Poesia completa de Álvaro de Campos
Poesia completa de Ricardo Reis

Ricardo PIGLIA
Respiração artificial

Décio PIGNATARI (Org.)
Retrato do amor quando jovem

Edgar Allan POE
Histórias extraordinárias

Antoine PROST, Gérard VINCENT (Orgs.)
História da vida privada 5 — Da Primeira Guerra a nossos dias

Darcy RIBEIRO
O povo brasileiro

Edward RICE
Sir Richard Francis Burton

João do RIO
A alma encantadora das ruas

Philip ROTH
Adeus, Columbus
O avesso da vida

Elizabeth ROUDINESCO
Jacques Lacan

Arundhati ROY
O deus das pequenas coisas

Salman RUSHDIE
Os versos satânicos

Oliver SACKS
Um antropólogo em Marte
Vendo vozes

Carl SAGAN
Bilhões e bilhões
Contato
O mundo assombrado pelos demônios

Edward W. SAID
Orientalismo

José SARAMAGO
O Evangelho segundo Jesus Cristo
O homem duplicado
A jangada de pedra

Arthur SCHNITZLER
Breve romance de sonho

Moacyr SCLIAR
A majestade do Xingu
A mulher que escreveu a Bíblia

Dava SOBEL
Longitude

Susan SONTAG
Doença como metáfora / AIDS e suas metáforas

I. F. STONE
O julgamento de Sócrates

Keith THOMAS
O homem e o mundo natural

Drauzio VARELLA
Estação Carandiru

Caetano VELOSO
Verdade tropical

Erico VERISSIMO
Clarissa
Incidente em Antares

Paul VEYNE (Org.)
História da vida privada 1 — Do Império Romano ao ano mil

XINRAN
As boas mulheres da China

Edmund WILSON
Os manuscritos do mar Morto
Rumo à estação Finlândia

Simon WINCHESTER
O professor e o louco

1ª edição Companhia das Letras [1991] 19 reimpressões
2ª edição Companhia das Letras [2003] 5 reimpressões
1ª edição Companhia de Bolso [2006] 19 reimpressões

Esta obra foi composta pela Verba Editorial em Janson Text
e impressa em ofsete pela Gráfica Bartira sobre papel Pólen da
Suzano S.A. para a Editora Schwarcz em abril de 2025

A marca FSC® é a garantia de que a madeira utilizada na fabricação do papel deste livro provém de florestas que foram gerenciadas de maneira ambientalmente correta, socialmente justa e economicamente viável, além de outras fontes de origem controlada.